# La trouvaille
# de Benjamin

Texte de Paulette Bourgeois
Illustrations de Brenda Clark

Texte français de Christiane Duchesne

Les éditions Scholastic

Benjamin sait compter par deux et nouer ses lacets. Il a l'oeil pour découvrir ce que les autres ne voient pas. Un jour, il a même repéré un trèfle à quatre feuilles. Une autre fois, il a retrouvé les clés que sa maman avait perdues. Mais aujourd'hui, Benjamin a découvert un objet qui sort de l'ordinaire.

Sur le chemin du parc, il aperçoit une tache de bleu. Quelque chose traîne au bord du chemin.

— Oh! Un appareil-photo! dit-il en le ramassant.

Il n'a jamais rien vu d'aussi extraordinaire.

Benjamin met l'oeil dans le viseur. Il se voit tout à coup photographe, comme sa grand-mère lorsqu'elle prenait des photos l'été dernier.

— Sourire! dit-il.

Benjamin fait semblant d'appuyer sur le déclencheur.

C'est là qu'il remarque que quelqu'un a déjà pris une photo.

Aussitôt arrivé au parc, il montre l'appareil-photo à ses amis.

— C'est à toi? s'écrie Orignal.

— Pas tout à fait, répond Benjamin. Je l'ai trouvé.

Castor hausse les épaules.

— Qui le trouve le garde! dit-il.

— J'ai bien regardé, dit Benjamin, mais il n'y a aucun nom sur l'appareil.

— Alors c'est à toi, insiste Castor.

— Ce n'est pas un vol, ajoute Orignal. Tu l'as trouvé.

Mais Benjamin sait très bien qu'il n'a pas le droit de garder des choses qui ne lui appartiennent pas.

Plus tard, il s'occupera de retrouver le propriétaire.

À ce moment-là, Castor fait une grimace.
— C'est bon! dit Benjamin.
Et il le prend en photo.

— Moi aussi! Moi aussi! s'écrient Orignal et
Lapin.

Avant de s'en rendre compte, Benjamin a
utilisé toute la pellicule.

Benjamin sort le film de l'appareil et le met dans son sac de billes.

— Il faudra que j'en achète un autre, dit-il.

— Tu le gardes? demande Orignal.

Benjamin a l'air surpris.

— Zut! J'avais presque oublié que ce n'est pas à moi, dit Benjamin. Je ferais mieux de trouver qui l'a perdu.

— Peut-être que le propriétaire sera furieux de voir que tu t'en es servi.

— Je n'avais pas pensé à ça, dit Benjamin la gorge serrée.

Benjamin ne sait plus quoi faire. Il n'aime pas qu'on soit fâché contre lui.

Il réfléchit un bon moment.

Quand ses amis sont partis, il va remettre l'appareil-photo là où il l'a trouvé.

— C'est mieux comme ça, soupire-t-il. Personne ne pourra se fâcher contre moi.

Benjamin rentre à la maison et prend un bon souper. Après, son père lui offre de jouer aux billes. Lorsque Benjamin ouvre son sac, le film roule sur le plancher.

— Qu'est-ce que c'est? demande son père.

— Hum..., fait Benjamin.

Son père attend patiemment.

Alors, Benjamin raconte toute l'histoire, comment il a trouvé l'appareil-photo, pris des photos de ses amis et remis l'appareil à sa place.

— Tu t'es servi de quelque chose qui ne t'appartient pas? demande son père.

— Je ne l'ai pas fait exprès, répond Benjamin. Ça s'est passé comme ça.

— Et qu'est-ce qui va se passer maintenant? demande son père.

Benjamin réfléchit, et réfléchit encore.

— Nous devrions peut-être aller chercher l'appareil-photo et essayer de retrouver son propriétaire, dit-il enfin.

Benjamin et son père fabriquent donc des affiches et vont les installer au parc.

Ils attendent toute une semaine, mais personne ne vient réclamer l'appareil.

Ils se rendent donc au poste de police et déclarent aux policiers qu'ils ont trouvé un appareil-photo. Mais encore là, personne ne vient chercher l'appareil.

Benjamin va faire développer le film. Il achète un nouveau rouleau de pellicule avec ses économies et il le place dans l'appareil.

Le lendemain, les photos sont prêtes. Benjamin tend une photo de la famille Raton.

— Je sais à qui appartient l'appareil-photo, crie-t-il. Raton a dû prendre cette photo juste avant de le perdre. Et comme il était parti, il n'a pas vu nos affiches.

Benjamin rapporte l'appareil à Raton et s'excuse d'avoir utilisé le film.

Raton n'est pas fâché du tout. Il est si heureux de retrouver son appareil qu'il offre à Benjamin de partager son repas.

— Sourire! dit Raton.

Et il prend en photo un Benjamin tout souriant.

F BOU          1 7 0 4

DATE DE RETOUR

| | | | |
|---|---|---|---|
| 2 7 OCT | | | |
| 2 7 OCT | | | |
| 2 1 FEV. | | | |
| 0 4 MAI | | | |
| 1 7 AVR | | | |
| 2 7 MAR | | | |
| 2 1 OCT | | | |
| 2 7 NOV | | | |
| 0 5 DEC | | | |
| | | | |
| | | | |